SCÉALTA Ó OILEÁN AN TURTAIR

ATHINSINT AGUS CÓIRIÚ NUA AR
SCÉALTA TRAIDISIÚNTA NA BPOBAL
DÚCHASACH I MEIRICEÁ

GABRIEL ROSENSTOCK
MAISITHE AG OLIVIA GOLDEN

Foilsithe ag Cló Mhaigh Eo,
Clár Chlainne Mhuiris,
Co. Mhaigh Eo,
Éire.
www.leabhar.com
094-9371744 / 086-8859407

ISBN: 978-1-899922-91-8

Dearadh: raydes@iol.ie
Clóbhuailte in Éirinn ag
Clódóirí Chois Fharraige.

Aithníonn Cló Mhaigh Eo tacaíocht Fhoras
na Gaeilge i bhfoilsiú an leabhair seo.

Foras na Gaeilge

SCÉALTA Ó OILEÁN AN TURTAIR

ATHINSINT AGUS CÓIRIÚ NUA AR SCÉALTA TRAIDISIÚNTA NA bPOBAL DÚCHASACH I MEIRICEÁ

CLÓ MHAIGH EO

TIOMNAÍM AN LEABHAR SEO DO GACH TEANGA
ATÁ I mBAOL A SCRIOSTA

CLÁR

PÍOPA
NA
SÍOCHÁNA

Fadó fadó cuireadh beirt den treibh Lakota amach féachaint cá raibh na buabhaill ar iníor. D'imigh siad go luath ar maidin nuair a bhí na madraí fós ag méanfach.

Bhí siad ag siúl leo (ní raibh capaill ag na Lakota an uair úd), sea bhí siad ag siúl leo i gcríoch na mbuabhall nuair a chonaiceadar duine ag teacht ina dtreo. Ní raibh a fhios acu ná gur namhaid leo a bhí ann mar sin d'fhanadar sna sceacha ag feitheamh.

Sa deireadh fuaireadar radharc ar an té a bhí ag teacht agus bhí ionadh orthu a fháil amach gur bean ab ea í, bean chomh hálainn leis an ngrian.

Arsa duine de na fir leis an bhfear eile: 'Is í an bhean is áille agus is maorga ar domhan í. Táim chun í a iarraidh mar chéile.'

Ach arsa an fear eile leis, 'A leithéid! Nach bhfeiceann tú gur bean ar leith í seo, duine beannaithe!'

Chuaigh an chéad fhear suas chuici ach go háirithe agus é ar intinn aige í a thabhairt leis mar chéile. An chéad rud eile, shéid sé ina ghuairneán gaoithe agus d'éirigh ceo. Nuair a scaip an ceo d'fhéach an dara fear ar a chompánach agus ní raibh ann ach carn cnámh ar an talamh. Labhair an spéirbhean ansin leis an dara fear.

'Ar aistear atáim go dtí do threibhse, na Lakota. Tá duine agaibhse darb ainm Buabhall ina Sheasamh Caol Díreach. Abair leis go bhfuilim ag teacht. Abair leis na pubaill go léir a chur i gciorcal. Fág oscailt sa chiorcal. I lár an chiorcail cuirigí típí mór agus a aghaidh ó thuaidh. Is ansin a bhuailfidh mé le Buabhall ina Sheasamh Caol Díreach.'

Chuaigh mo dhuine abhaile agus
d'inis sé dá threibh faoin méid a tharla.

'Tá spéirbhean chugainn, a chlann!'

Thosaigh na Lakota ag ullmhú di.
Nuair a tháinig sí, bhí bronntanas aici do
Bhuabhall ina Sheasamh Caol Díreach. Is é
a bhí sa bhronntanas ná píopa tobac, píopa
beag de chloch dhearg agus cleití ag sileadh
leis. Greanta ar an bpíopa bhí buabhaillín
beag bídeach.

'Tá an Domhan beannaithe,'
ar sí, 'agus is beannaithe iad bhur
gcoiscéimeanna. Babhla an phíopa, is
de chloch dhearg é; dath na cré. Ina
lár tá buabhaillín, a sheasann do na
ceathairchosaigh go léir. Is d'adhmad é
cos an phíopa a sheasann do gach aon ní
atá ag fás. An bhfeiceann sibh na cleití ó
Iolar Breac? Do gach neach sciathánach a

sheasann siad. Páistí na Cruinne, páistí an Domhain iad na nithe beo sin uile. Is aon teaghlach amháin sibh. Meabhróidh an píopa seo an fhírinne sin daoibh!'

Ghlac Buabhall ina Sheasamh Caol Díreach leis an bpíopa. Ansin mhúin sí paidreacha dó. 'Nuair a bheidh tú ag guí chun Wakan Tanka ,' ar sise leis, 'ól an píopa seo. Má bhíonn ocras oraibh, tóg amach an píopa agus nocht don aer é. Tiocfaidh na buabhaill agus beidh dóthain le hithe agaibh ansin.'

Mhúin an spéirbhean go leor paidreacha do na Lakota agus conas iad féin a mhaisiú le haghaidh searmanas.

'Maisígí sibh féin i ndathanna an Domhain, bhur Máthair — dubh agus dearg, donn agus bán. Thar aon rud eile, cuimhnígí gur píopa na síochána é an

píopa seo. Ólaigí é sula mbíonn searmanais
agaibh. Ólaigí é sula ndéanfaidh sibh
conarthaí le treibheanna eile.'

Chas sí ansin agus shiúil léi go mall.
Bhí na Lakota ag breathnú uirthi agus
iontas an domhain orthu. Shiúil sí amach
as an gciorcal, stop sí ar feadh meandair
agus luigh ar an talamh.

Sheas sí ansin agus ba bhuabhall
dubh a bhí inti.

Ó thuaidh léi.

Luigh sí arís ar feadh tamaill agus
nuair a sheas sí arís buabhall rua a bhí inti.

Ó thuaidh léi.

Luigh sí agus sheas an tríú huair
agus ba bhuabhall donn a bhí inti an uair
sin.

Ó thuaidh léi.

Luigh sí an ceathrú huair agus sheas:

an uair seo ba bhuabhall bán gan smál í.

Ó thuaidh léi.

Chuir sí an cnoc di. Ní fhaca éinne ó shin í.

GORMÉAN
AGUS
CADHÓIT

Fadó fadó, nuair a bhí an Domhan óg, ní gorm a bhí cleití Ghorméin. Dath na cré a bhí orthu. Dáiríre!

Bhí cónaí ar Ghorméan cois locha. Dath gorm a bhí ar uiscí an locha. Thaitin sé le Gorméan folcadh a ghlacadh sa loch. Bhí folcadh aige ann gach maidin ar feadh ceithre lá agus is é seo an t-amhrán a chan sé agus é á ní féin:

Uisce

uisce

uisce gorm

Tá sé orm, tá sé orm.

Agus ar an gceathrú lá thit na cleití go léir de. Sin í an fhírinne. Tháinig sé amach agus é lomnocht ar fad!

Ar an gcúigiú lá, ghlac sé folcadh arís sa loch agus chan sé an t-amhrán céanna:

Uisce

       uisce

             uisce gorm

     Tá sé orm, tá sé orm.

Nuair a tháinig sé amach as an loch bhí
cleití gorma air.

     Bhí Cadhóit ag féachaint air seo go
léir. Chuir sé é féin in aithne do Ghorméan:

     'Is mise Cadhóit. Is tusa an t-éan is
deise ar domhan. Tá tú chomh gorm leis
an spéir. Ó nár bhreá liom a bheith chomh
gorm leatsa.'

     'Níl le déanamh agat,' arsa Gorméan,
'ach tú féin a fholcadh sa loch ceithre
huaire agus an t-amhrán seo a rá.'

     Mhúin sé an t-amhrán do
Chadhóit ansin. Léim Cadhóit sa loch.
Ceithre mhaidin as a chéile léim sé sa loch,

nigh é féin agus chan an t-amhrán a mhúin Gorméan dó. Ar an gcúigiú maidin bhí sé chomh gorm leis an spéir.

Bhí sé thar a bheith sásta leis féin. Chuaigh sé ag siúl ansin agus é ag féachaint ar dheis is ar chlé an t-am ar fad. Bhí sé den tuairim go mbeadh an domhan mór ag breathnú air agus ag baint aoibhnis as mar radharc.

Ní raibh sé ag féachaint roimhe in aon chor agus an chéad rud eile bhuail sé in aghaidh stumpa crainn agus leagadh é. Clúdaíodh le deannach an bhóthair é. An dath sin atá ar Chadhóit ó shin.

NA CHÉAD MHOCAISÍNÍ

Bhí Taoiseach tráth sna Machairí Móra a raibh dhá throigh an-bhog faoi. Cosa linbh, ba dhóigh leat.

Bhíodh taoisigh eile ag gáire faoi. Ní raibh capaill ar bith ann an uair sin agus bhí gach éinne ag siúl thart cosnochta. Chloisfeá go minic 'Abhaits! Abhaits!' uaidh dá siúlfadh sé ar chloch nó ar shliogán, abair.

'Tá sé seo go dona! Cad a dhéanfaidh tú mar gheall air?' arsa an Taoiseach lena Chomhairleoir.

'Níl a fhios agam,' arsa an Comhairleoir.

'Bhuel, bíodh a fhios agat,' arsa an Taoiseach.

Cad a bhí le déanamh? Bhí an Comhairleoir leath as a mheabhair ag smaoineamh ar réiteach. Ach múineann gá seift. Smaoinigh sé ar phlean sa deireadh.

D'iarr sé ar mhná na treibhe
mata mór giolcaí a fhí dó. Nuair a bhí an
Taoiseach amuigh ag siúl bhí ar cheathrar
óganach an mata sin a leathadh amach
roimhe i dtreo is nach ngortófaí é.

Bhí go maith is ní raibh go holc.

Lá amháin, áfach, leath siad an mata
agus iad leath ina gcodladh. Cad a bhí faoin
mata, gan fhios dóibh, ach smionagar géar
a d'fhág duine éigin ina dhiaidh, duine
a raibh ranna saighde á ngreanadh aige
as breochloch. Chuaigh an smiongar tríd
an mata. Dá gcloisfeá an bhéic a lig an
Taoiseach as! Chuir sé Crann Creathach ag
crith agus tá sé ag crith ó shin!

Ghlaoigh an Taoiseach a
Chomhairleoir chuige.

'Clúdaigh na cosáin go léir le mataí

tiubha i dtreo is nach ngortófaí go deo arís mé – nó cuirfear chun báis thú oíche na gealaí móire.'

Bhí an Comhairleoir bocht i bponc. Cad a dhéanfadh sé in aon chor?

Díreach ansin cad a chonaic sé ach seithe eilce agus í ceangailte síos le pionnaí. Bhí beirt bhan á scríobadh chun an clúmh a bhaint de. Rith smaoineamh leis. Chuir sé sealgairí amach agus mharaíodar a lán lán eilceanna. Bhí na mná an-ghnóthach ar feadh coicíse ina dhiaidh sin, iad ag scríobadh is ag fuáil ó mhaidin go hoíche.

Chuir an Taoiseach fios ar an gComhairleoir arís.

'Bhuel?' ar seisean.

'Féach amach,' arsa an Comhairleoir. D'fhéach an Taoiseach amach agus cad a chonaic sé ach cosáin soir is cosáin siar agus iad go léir clúdaithe le seithí eilce.

Lig an Comhairleoir osna. Ba léir go raibh an Taoiseach sásta.

Bhí go maith is ní raibh go holc.

Lá amháin bhí an Taoiseach amuigh ag siúl – ar chosán seithí, gan dabht – agus cé a bhí roimhe ach Meangadh Gáire, an cailín ba dheise dá bhfaca sé riamh. Ní ar chosán bog an Taoisigh a bhí sise ag siúl, ar ndóigh, ach ar an talamh garbh. Rith sé ina diaidh. Theith sise uaidh agus cad a dhein an Taoiseach ach imeacht ón gcosán chun í a leanúint agus an chéad rud eile nár shiúil ar dhealg. Lig sé béic as a scanraigh Glasóg chomh mór sin go bhfuil a heireaball ag crith ó shin.

Ghlaoigh sé a Chomhairleoir chuige.

'Ní leor na cosáin a chlúdach! Clúdaigh an domhan ar fad nó is duitse is measa! Tá lá amháin agat chuige!'

Lá amháin chun an domhan go léir a chlúdach? Bhí an Comhairleoir ciaptha cráite i gceart. Dhreap sé an cnoc ab airde sa cheantar agus labhair sé lena Chruthaitheoir. Ghlac an Cruthaitheoir trua dó agus thug réiteach na faidhbe dó.

Ar ais leis de rúid reatha go dtí an típí agus níor stop sé ag obair go maidin. Tháinig cúpla tréanfhear ansin agus tugadh i láthair an Taoisigh é.

'Bhuel?' arsa an Taoiseach. 'Níl an domhan clúdaithe agat, an bhfuil? Cuirtear chun báis é!'

'Soicind amháin, a Thaoisigh!' arsa an Comhairleoir. Rith sé go dtí an Taoiseach agus chuaigh ar a ghlúine os a chomhair. Mheas gach éinne gur ag lorg trócaire a bhí sé. Leis sin, thóg sé amach na mocaisíní agus chuir ar chosa an Taoisigh iad.

'Is cuma cá leagfaidh tú do chos feasta, a Thaoisigh, beidh leathar fút i gcónaí!'

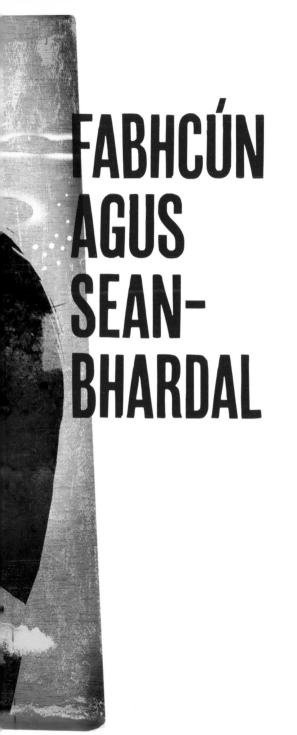

FABHCÚN AGUS SEAN-BHARDAL

Bhí gaotha fuara an gheimhridh ag séideadh nuair a labhair Sean-Bhardal le Lacha:

'Is mithid dúinn ár n-ál a bhreith linn ó dheas, a bhean, go dtí na tíortha teo nach bhfuil feicthe fós acu.'

'Tá go maith, a thaisce,' arsa Lacha.

Go luath an mhaidin dár gcionn thosaigh siad ar a n-aistear fada agus iad ag eitilt leo i bhfoirm 'V'. Bhí Lacha chun tosaigh agus Sean-Bhardal thiar sa deireadh agus súil á coimeád amach aige ar eagla lachín óg éigin a bheith i dtrioblóid.

Is mar sin a bhíodar an lá ar fad go hard sa spéir, machairí thíos fúthu nó foraoisí móra. Sa deireadh chonaiceadar scata lochanna agus d'eitlíodar síos i bhfoirm leathchiorcail, síos, síos go dtí gur thuirlingíodar go léir slán sábháilte sa loch.

Is ansin a chuala Lacha seabhrán san aer, seabhrán scanrúil ag gearradh tríd an aer, agus ar sise:

'Vác-vác! Baol! Baol! Fabhcún!'

Bí ag caint ar scaipeadh na mionéan! Scaip na lachíní i ngach treo agus is é Sean-Bhardal a bhí chun deiridh orthu. Eisean a buaileadh, agus go trom!

'Vac-vác!' arsa na lachíní go léir agus sceimhle orthu nuair a chonaiceadar cleití Shean-Bhardail ag titim ar nós calóga sneachta. Ach níor ghá dóibh a bheith buartha. Bhí roinnt cleití caillte ag Sean-Bhardal. Sin uile. Ach Fabhcún, thit seisean go talamh agus sciathán leis briste.

'Sean-Bhardal!' arsa Fabhcún. 'Tá sé chomh righin le gad!'

Chuaigh Fabhcún i bhfolach agus d'fhan sé ansin cois locha ar feadh i bhfad,

ag teacht chuige féin go mall mall. Ar lucha
den chuid is mó a mhair sé. Log i gcrann a
bhí mar nead aige, i dtreo is nach dtiocfadh
Sionnach ná Easóg air.

Nuair a bhí an geimhreadh thart bhí
biseach éigin ar Fhabhcún agus thosaigh
sé ag eitilt arís beagán. Bhí Grian níos
airde sa spéir anois agus bhé sé in am ag
Sean-Bhardal, Lacha agus na lachíní go léir
filleadh abhaile.

Chonaic Fabhcún na healtaí lachan
go léir ag eitilt abhaile ach níor thug
fogha fúthu. Bhí sé fós lag go leor agus ní
raibh muinín aige go fóill as an sciathán a
briseadh.

Lá amháin, thuirling scata lachan
in aice leis agus chuala sé Sean-Bhardal ag
caint:

'Sea, a pháistí, díreach san áit seo

is ea d'ionsaigh Fabhcún mé. Ach bhíos-sa róchliste dó agus in áit mé a mharú, thit sé go talamh agus sciathán leis briste. Tá Minc nó Sionnach tar éis é a ithe fadó, bí cinnte de.'

D'aithin Fabhcún a shean-namhaid agus tháinig misneach chuige.

'Táim fós i mo bheatha!' ar sé agus thug ruathar faoi Shean-Bhardal.

'Vác-vác!' arsa Lacha agus scaipeadar go léir mar a scaipeann duilleoga an Fhómhair. Ní raibh spéis ag Fabhcún in éinne acu ach i Sean-Bhardal. Lean sé é.

Suas.

Síos.

Soir.

Siar.

Timpeall is timpeall a chuadar go dtí sa deireadh gur bhuail Fabhcún é lena sciathán leigheasta, bhuail sé go deas é ar a mhuineál sínte glioscarnach.

Cad deir an seanfhocal? Dá dhonacht an tinneas is measa an bás.

NA
TSVDIGEWI

Fadó fadó d'fhág scata tréanfhear den náisiún Cherokee a gcampa ina ndiaidh chun an domhan mór a fheiceáil. Thug siad a n-aghaidh ó dheas agus tháinig siad ar threibh de dhaoine beaga, na Tsvdigewi. Bhí cuma aisteach orthu agus gan ach airde do ghlúine iontu. Ní i dteach ná i dtípí ná i wigwam a bhí cónaí orthu seo ach i nead a bhí déanta sa ghaineamh acu agus féar á clúdach.

Bhí siad chomh lag sin mar chine nach raibh ar a gcumas aon troid a chur suas agus bhí eagla orthu an t-am ar fad, go háirithe roimh na géanna fiáine agus éanlaith eile den sórt sin a thagadh go rialta dá n-ionsaí.

Nuair a bhuail na Cherokee leo bhí critheagla orthu go léir. Bhí an ghaoth aneas ag séideadh go láidir agus bhí a fhios ag na Tsvdigewi go mbeadh na géanna chucu go luath.

'Cén fáth nach bhfuil sibh in ann sibh féin a chosaint?' an cheist a chuir na Cherokee orthu.

'Níl a fhios againn conas troid a dhéanamh,' arsa na Tsvdigewi.

Chuala siad na géanna ag teacht. Ní raibh am ag na Cherokee bogha agus saighead a dhéanamh do gach duine acu mar sin dúirt siad leis na daoine beaga bata a bheith acu agus an ghé a bhualadh sa mhuineál leis an mbata.

Tháinig na géanna. Bhí an oiread sin díobh ann go mba gheall le scamall iad. Agus an torann uathu! Ní fhéadfá siúl gan bualdh in aghaidh gé; bhí siad gach áit.

Rith na Tsvdigewi chomh tapa is a bhí ina gcosa beaga. Isteach ina nead féin le gach duine acu. Lean na géanna iad agus sháigh a ngob isteach chun iad a tharraingt amach. Ach an uair seo bhí na daoine beaga ullamh lena gcuid bataí agus bhuail siad na géanna ar an muineál, an tslí a mhúin na Cherokee dóibh. Mharaigh siad a lán lán géanna an lá sin agus sa deireadh an méid a bhí fágtha, d'eitil siad leo.

Is iad na Tsvdigewi a bhí buíoch de na Cherokee. Thug siad nua gach bia agus sean gach dí dóibh agus bhí ceiliúradh mór acu a lean dhá lá. D'imigh na Cherokee ansin chun an chuid eile den domhan a fheiceáil.

Chuala siad ina dhiaidh sin gur tháinig na géanna ar ais agus gur mharaigh na daoine beaga a thuilleadh acu. Faraor, tháinig éan eile ansin.

An grús Ceanadach a thugtar ar an

éan sin. Bhí na grúis chomh hard sin nach raibh na Tsvdigewi in ann iad a bhualadh. Sea, d'ith na grúis iad, gach diabhal duine acu. Níl éinne den treibh sin fágtha anois.

FÉILEACÁIN

Tharla lá go raibh an Cruthaitheoir ag glacadh scíthe agus É ina shuí, gan faic ar siúl aige ach É ag breathnú ar pháistí ag spraoi. Bhí na páistí ag gáire agus ag canadh. Mar sin féin, nuair a d'fhéach an Cruthaitheoir orthu, is amhlaidh a líon A chroí le huaigneas.

'Na páistí beaga seo, éireoidh siad sean amach anseo,' ar Seisean. 'Éireoidh an craiceann orthu rocach. Iompóidh a gcuid gruaige liath. Titfidh a gcuid fiacla go léir amach. Is lag amach anseo a bheidh lámh láidir an tsealgaire. Sea sea, agus na bláthanna gleoite ar thaobh an bhóthair – buí agus gorm, dearg agus corcra – feofaidh siad go léir. Titfidh na duilleoga agus beidh siad ina luí ansin ina gcarn dreoite. Ciceálfaidh na páistí ansin iad agus scuabfaidh an ghaoth chun siúil iad.'

Sea, bhí A chroí ag éirí an-bhrónach
agus É ag smaoineamh ar na cúrsaí
sin. Ba é an Fómhar a bhí ann agus an
Geimhreadh ag teacht. Ní bheadh géim ag
rith thart níos mó ná aon ní glas ag fás. Lig
an Cruthaitheoir osna.

Ach bhí teas éigin fós sa lá agus
d'fhéach an Cruthaitheoir ar na scáileanna
a bhí ag spraoi leis an solas gach áit, fiú
i measc na nduilleog buí. Chonaic Sé cé
chomh gorm is a bhí an spéir, chomh bán
is a bhí an plúr a bhí meilte ag na mná óga.
Go tobann, leath gáire ar A bhéal.

'Na dathanna seo go léir,' ar Seisean,
'ba cheart iad a chaomhnú. Cruthóidh
mé rud éigin a ghealfaidh mo chroí agus
a ghealfaidh croí na bpáistí seo chomh
maith.'

Thóg Sé amach a mhála agus

thosaigh Sé ag bailiú rudaí: ga gréine, píosa beag den spéir, báine an phlúir, scáileanna is iad chomh dubh le gruaig na gcailíní óga, buí na nduilleog, glas an spíonlaigh ghiúise. Dath dearg, corcra agus oráiste, fuair Sé na dathanna sin ó na bláthanna go léir mórthimpeall Air. Chuir Sé go léir isteach ina mhála iad. Agus ina dhiaidh sin, cad a dhein Sé ach ceol na n-éan a chaitheamh isteach ann chomh maith.

Anonn Leis ansin go dtí an áit ina raibh na páistí ag spraoi.

'A pháistí,' ar Sé, 'is daoibhse é seo.' Thug Sé an mála dóibh.

D'oscail na páistí an mála agus cad a phreab amach as ach na mílte is na mílte féileacáin, féileacáin áille ildaite. D'eitil siad abhus is thall, iad ag damhsa thart ar na páistí, ina suí tamall ar a gcuid gruaige nó iad ag eitilt go haerach ó bhláth go bláth. Bhí aoibhneas ar na páistí.

Thosaigh na féileacáin ag canadh ansin agus níor chuala na páistí ceol chomh binn leis riamh.

Ach tháinig éan ceoil ansin agus shuigh ar ghualainn an Chruthaitheora agus ar seisean Leis:

'Níl sé ceart ná cóir, a Chruthaitheoir, go mbeadh ár gcuid ceoil go léir ag an dream nua seo. Nuair a chruthaigh Tú sinne dúirt Tú go mbeadh ár gceol féin againn go brách, a cheol féin ag gach éan faoin spéir.'

'Ambaist, tá an ceart agat,' arsa an Cruthaitheoir.

Thóg Sé an ceol ar ais uathu agus sin an fáth nach raibh gíocs ná míocs ó na féileacáin ó shin.

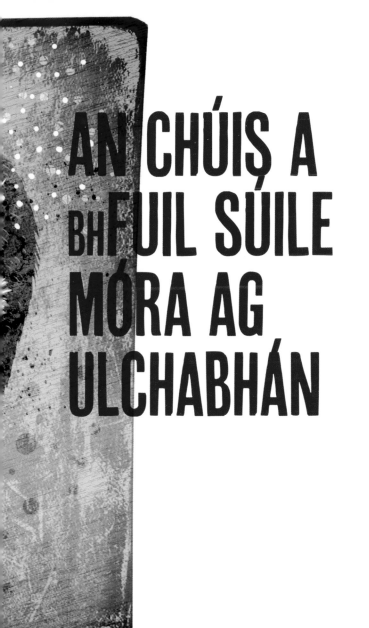

AN CHÚIS A BHFUIL SÚILE MÓRA AG ULCHABHÁN

Bhí Raweno, Déantóir an Uile Ní, bhí sé gnóthach i mbun ainmhithe éagsúla a chruthú. Bhí sé ag obair ar Choinín. Bhí Coinín ag labhairt leis mar seo:

'Tabhair cosa fada dom, a Raweno, le Do thoil, agus cluasa deasa mar atá ag Fia.'

'Déanfaidh mé mo dhícheall,' arsa Raweno. 'Aon rud eile?'

'Starrfhiacla agus crúba géara mar atá ag Pantar,' arsa Coinín.

'Tá go maith,' arsa Raweno.

Bhí Ulchabhán ina shuí ar chraobh in aice láimhe. Ní raibh sé cruthaithe i gceart, é ag fanacht sa scuaine.

'Hú!' arsa Ulchabhán. 'Ba mhaith liomsa muineál fada mar atá ag Eala, gob deas mar atá ag Éigrit agus —'

Arsa Raweno leis: 'Dún do chlab! Cas timpeall is féach sa treo eile. Níos fearr fós, dún do shúile. Níl cead ag éinne a bheith ag féachaint ar mo chuid oibre.'

Bhí cluasa fada Choinín á ndéanamh Aige, díreach mar a theastaigh siad ó Choinín.

Níor éist Ulchabhán le Raweno, áfach:

'Hú hú,' ar sé, 'ní chuirfidh éinne stop liomsa. Ná habair liomsa mo shúile a dhúnadh. Hú hú! Is maith liomsa a bheith ag féachaint ort agus féachfaidh! Hú hú!'

Bhí goimh ar Raweno. Rug sé greim ar Ulchabhán, tharraing den chraobh é agus sháigh a chloigeann síos ina chabhail; bhain sé croitheadh as ansin agus d'at an dá shúil ina cheann le heagla; tharraing sé a dhá chluas i dtreo is go rabhadar ag bogadh amach óna cheann.

'Anois,' arsa Raweno,' múinfidh

sé sin béasa duit. Ní bheidh tú in ann an muineál sin a shíneadh níos mó chun féachaint ar rudaí nach ceart dut a bheith ag féachaint orthu. Tá dhá chluas mhóra anois ort agus cloisfidh tú i gceart mé an chéad uair eile a déarfaidh mé leat a bheith i do thost. Tá dhá shúil mhóra agat ach ní chun breathnú ormsa. Bímse ag obair sa lá. Istoíche amháin a bheidh tusa amuigh!'

As go brách le hUlchabhán ansin agus gach aon 'Hú Hú!' uaidh.

Ar ais le Raweno ansin chun Coinín a chríochnú ach nuair a chonaic Coinín an drochíde a thug Raweno d'Ulchabhán, theith sé – cé nach raibh sé ach leathdhéanta!

'Tar ar ais! Níl críochnaithe agam leat!' arsa Raweno ach bhí Coinín imithe isteach i bpoll éigin agus a chroí ag preabadh. Na cosa deiridh amháin atá fada agus bíonn air preabadh seachas siúl mar a dhéanann ainmhithe eile. Agus tá faitíos air i gcónaí!

WÚNTÍ, COSANTÓIR NA hABHANN

Fadó fadó, sula raibh an Díle ann fiú amháin, thug an Cheakamus, abhainn mhór, thug sí dóthain bia i gcónaí don treibh áitiúil, na Squamish. Gach aon bhliain, ag deireadh an tsamhraidh, thagadh na bradáin ar ais. Chaitheadh na daoine a gcuid líonta, déanta de rútaí an chéadrais, isteach san uisce agus bhí dóthain bradán ansin acu i gcomhair an gheimhridh.

Tháinig iascaire lá agus d'fhéach sé san abhainn agus chonaic sé na bradáin go léir. Ghabh sé buíochas leo as teacht ar ais agus chaith sé a líon san abhainn. D'éirigh leis dóthain a fháil a mhairfeadh ar feadh bliana. Chuir sé isteach i gciseáin iad a bhí déanta de choirt an chéadrais agus d'ullmhaigh sé le haghaidh an bhóthair abhaile.

Ach nuair a d'fhéach sé san abhainn

arís, chonaic sé go raibh bradáin ina gcéadta ann. Chaith sé a líon isteach an dara huair agus an tríú huair. Nuair a tharraing sé an líon amach an tríú huair, bhí sé chomh stróicthe sin ag bataí agus craobhacha nach raibh sé in ann é a dheisiú. Nuair a d'fhéach sé ina thimpeall, ar an mbruach agus ina chuid ciseán, ní éisc a chonaic sé ach bataí agus craobhacha. Bhí sé fágtha gan iasc. Bhí a chuid líonta loite.

Nuair d'fhéach sé in airde, i dtreo an tsléibhe, chonaic sé Wúntí, Cosantóir na hAbhann, agus chuala sé Wúntí á ra go raibh an conradh leis an abhainn briste aige, go raibh sé tar éis níos mó a thógáil uaithi ná mar a bhí riachtanach dó féin is dá theaghlach.

Nach daor an ceacht a bhí foghlamtha aige!

FAOI MAR A CHAILL BÉAR A EIREABALL

Ní hionann agus inniu, bhí eireaball breá ar Bhéar fadó. Eireaball fada snasta. Bhí Béar chomh sásta sin lena eireaball go mba nós leis é a chroitheadh an t-am ar fad.

Chonaic Sionnach cé chomh mórtasach is a bhí Béar agus dúirt sé leis féin go mbuailfeadh sé bob air. Is breá le Sionnach cleasa a imirt ar ainmhithe eile.

Ba é an t-am sin den bhliain é nuair a bhí Hatho, Spiorad an tSeaca, ag leathnú ar fud na tíre, na lochanna á líonadh aige le leac oighir agus na crainn á gclúdach aige lena anáil bhán. Bhí Sionnach tar éis poll a dhéanamh sa leac oighir.

Tháinig Béar.

'Cad atá ar siúl agatsa?' ar seisean

'Ag iascaireacht atáim,' arsa Sionnach, á fhreagairt.

Bhí a eireaball sa pholl ag Sionnach.

'Féach!' ar seisean.

Tharraing sé a eireaball agus an chéad rud eile bhí breac breá faighte aige.

'Maith thú!' arsa Béar.

'Ar mhaith leatsa triail a bhaint as?' arsa Sionnach.

'Ó ba mhaith,' arsa Béar agus sall leis go stágach go dtí an poll iascaireachta.

'Nóiméad amháin,' arsa Sionnach. 'Ní anseo. Níl aon mhaith san áit seo. Tá an chuid is mó de na héisc faighte agamsa. Gheobhaimid áit níos fearr duit.'

Bhí Béar sásta leis sin. Lean sé Sionnach. Threoraigh Sionnach go dtí áit nua é, an chuid éadomhain den loch, áit nach mbíonn iasc dá laghad ann.

'Anois,' arsa Sionnach le Béar, 'éist go cúramach. Ná smaoinigh ar rud ar bith.

Ná tosaigh ag canadh ná aon rud mar sin nó cloisfidh na héisc thú. Fan deas ciúin. Cas do dhroim leis an bpoll agus cuir d'eireaball ann. Ní fada go dtiocfaidh iasc, béarfaidh sé greim ar d'eireaball agus beidh tú in ann é a tharraingt amach ansin.'

'Ach má bhíonn mo dhroim leis an bpoll, conas a bheidh a fhios agam go bhfuil iasc tar éis breith ar m'eireaball?' arsa Béar.

'Beidh mise i bhfolach thall ansin,' arsa Sionnach, 'agus ní fheicfidh na héisc mé. Nuair a bhéarfaidh iasc ar d'eireaball, ligfidh mise béic asam. Beidh ort tarraingt ansin agus tarraingt go láidir. Fan breá socair anois. Beidh ort a bheith foighneach. Ná corraigh go gcloisfidh tú uaim.'

Bhí Béar sásta. Sheas sé taobh leis an bpoll, chuir sé a eireaball álainn snasta san uisce oighreata agus chas sé timpeall.

Bhí Sionnach ag féachaint air ar feadh i bhfad agus nuair a chonaic sé go raibh Béar ina shuí go socair, shleamhnaigh sé ar ais go dtí a phluais féin agus bhí dreas codlata aige. Go deimhin, níor dhúisigh sé go dtí go raibh sé ina lá geal. Smaoinigh sé ar Bhéar:

'N'fheadar an bhfuil sé fós ann?' ar sé léis féin.

Chuaigh Sionnach ar ais go dtí an áit inar fhág sé Béar agus cad a chonaic sé ach mar a bheadh cnocán bán i lár an locha. Bhí sneachta ann i gcaitheamh na hoíche agus bhí Béar bocht clúdaithe ó bhaithis an chinn go bonn na coise. Ina chodladh go sámh a bhí sé agus é ag srannadh. Bhain Sionnach an-spórt go deo as an radharc sin.

Bhí sé in am ag Sionnach an cleas a imirt. Dhruid sé níos cóngaraí do Bhéar agus ar seisean in ard a chinn is a ghutha:

'Anois, tarraing!'

Dhúisigh Béar de phreab agus
tharraing. Ach, ar ndóigh, bhí a eireaball
reoite sa leac oighir agus an chéad rud eile
—

CRRRAIC!

Chas sé timpeall agus chonaic sé go
raibh a eireaball breá briste.
Thosaigh Sionnach ag gáire ach sula raibh
deis ag Béar breith air, bhí sé imithe.

Go dtí an lá inniu, cloisfidh tú
Béar ag clamhsán. Braitheann sé uaidh a
eireaball snasta go mór.

AN
BUACHAILL
AGUS
AN
NATHAIR
SHLIGREACH

Lá amháin, bhí buachaill amuigh ag siúl nuair a tháinig sé ar nathair shligreach. Bhí an nathair shligreach ag dul in aois. Ar seisean leis an mbuachaill:

'Cogar, a bhuachaillín, níl a fhios agam an dtabharfá go barr an tsléibhe mé? Táimse ag fáil bháis agus ba mhaith liom féachaint uair amháin eile ar luí na gréine.'

'Drochsheans,' arsa an buachaill. 'Dá n-ardóinn thú, chuirfeá nimh ionam!'

'Ní dhéanfainn! Tabhair go barr an tsléibhe mé le do thoil.'

Smaoinigh an buachaill ar feadh tamaill. Sa deireadh, rug sé ar an nathair agus thug leis go barr an tsléibhe é.

D'fhéach siad le chéile ar dhul faoi na gréine.

'Go hálainn, nach bhfuil?' arsa an nathair.

'Go hálainn ar fad!' arsa an buachaill.

'Ba mhaith liom dul abhaile anois,' arsa an nathair. 'Tá tuirse orm.'

Rug an buachaill ar an nathair agus síos an sliabh leo.

Bhí sé ina oíche. Thosaigh Ulchabhán ag labhairt leis féin:

'Wú hú! Wú hú!'

Thug an buachaill an nathair abhaile leis, thug bia agus leaba na hoíche dó.

An lá dár gcionn labhair an nathair leis an mbuachaill.

'Tabhair abhaile go dtí m'áit féin anois mé,' ar seisean. 'Tá sé in am agam an domhan seo a fhágáil. Ba mhaith liom a bheith ar ais i m'áit féin, sa choill.'

Rug an buachaill ar an nathair agus thug go dtí an choill é. Chuala sé siosarnach na gaoithe i measc na gcrann:

SSSSssss! SSSSssss!

Díreach sular leag sé síos sa choill é, chuir
an nathair nimh ann!

Lig an buachaill béic as.

'Cén fáth a ndearna tú é sin?' ar
seisean. 'Caillfear anois mé!'

'Hath! Bhí a fhios agat cad a bhí
ionam nuair a phioc tú suas mé,' arsa an
nathair.

AN ÁIT INAR RITH AN GADHAR

(AN T-AINM ATÁ AG NA CHEROKEE AR BHEALACH NA BÓ FINNE)

Nuair a bhí an domhan an-óg ní raibh mórán réaltaí sa spéir. Cad as ar tháinig na réaltaí go léir? Seo mar a tharla. Bhí daoine ag brath go huile is go hiomlán ar arbhar an uair úd. Chun min arbhair a dhéanamh bhí ort an t-arbhar a mheilt, is é sin le rá é a bhualadh le tuairgnín. Stóráiltí an mhin i gciseáin mhóra. D'fhéadfá arán a dhéanamh as an min i gcaitheamh an gheimhridh.

Maidin amháin chuaigh lánúin aosta go dtí an ciseán stórála agus fuair siad amach go raibh cuid den mhin goidte ag duine éigin. Bhí alltacht orthu. Sin rud nár tharla riamh cheana. Min a ghoid? Cé a dhéanfadh a leithéid!

Bhí cuid den mhin scaipthe ar fud an urláir agus thug siad faoi deara go raibh lorg lapaí ann. Gadhar a bhí sa ghadaí!

Bhí eagla orthu. Ní fhaca siad lorg mar
é riamh. Ní gnáthghadhar a bhí ann.
Caithfidh gur gadhar ollmhór ar fad a bhí
ann.

Tháinig muintir an bhaile ar fad
le chéile nuair a chuala siad faoin méid
a tharla. Bhí siad go léir ar aon fhocal
nach gadhar saolta a bhí ann ach spiorad
ó dhomhan eile. An t-aon leigheas ar an
scéal ná an gadhar a scanrú i dtreo is nach
dtiocfadh sé ar ais go deo arís. Bhailigh
siad a gcuid drumaí agus a gcuid gligíní de
shliogán turtair agus chuaigh i bhfolach
ansin san áit ina raibh an mhin á stóráil ag
an tseanlánúin.

I lár na hoíche chuala siad fuaim
aisteach mar a bheadh cleití ag bualadh.
D'fhéach siad in airde agus bhí gadhar mór
ag teacht anuas ón spéir.

Thuirling sé in aice leis an gciseán agus thosaigh sé ag ithe na mine.

Léim na daoine ina seasamh, bhuail siad go tréan ar na drumaí agus chroith siad a gcuid cnaguirlisí. Chas an gadhar agus theith sé. Lean na Cherokee é. Rith an gadhar suas an cnoc agus léim in airde sa spéir, an mhin ag sileadh as a bhéal.

Rith sé trasna na spéire duibhe agus d'imigh as radharc. Ach d'fhág an mhin a thit as a bhéal cosán ina dhiaidh. Ba réalta anois é gach gráinne mine.

Gil-lí-út- sún-stan-ún-yí

a thugann na Cherokee ar na réaltaí sin, 'An Áit inar Rith an Gadhar.'

AN
BUACHAILL
A RAIBH
CÓNAÍ AIR
I MEASC
NA mBÉAR

Bhí buachaill den treibh Iroquois ann uair amháin agus fágadh ina dhílleachta é. Ní raibh éinne a thabharfadh aire dó ach uncail leis agus ní duine deas ab ea é sin in aon chor. Duine gránna ab ea é.

Ní raibh fonn ar an uncail aire a thabhairt don bhuachaill óg. Níor thug sé dó le hithe ach rudaí a bhí caite uaidh aige féin, rudaí leathite nár thaitin leis. Na balcaisí a bhí ar an leaid óg ní chuirfeá ar fhear bréige iad agus bhí poill ina chuid mocaisíní.

Bhí air codladh faoin spéir, i bhfad ón tine. Saol ainnis a bhí aige. Ach níor chuala éinne riamh ag gearán é. Bhí múinte ag a thuismitheoirí dó meas a bheith aige ar dhaoine fásta.

Lá amháin bheartaigh an t-uncail go ndéanfadh sé drochghníomh – an buachaill a mharú!

'Seo linn,' ar sé leis an leaidín, 'tar liom ag seilg.'

Bhí áthas ar an mbuachaill. Níor thug a uncail riamh leis ag seilg é, go dtí anois. Lean sé isteach sa choill é. Mharaigh a uncail coinín. Phioc an buachaill suas é agus é ullamh chun é a iompar abhaile.

'Tá tuilleadh seilge le déanamh,' arsa a uncail leis.

Lean siad orthu gur bhain siad amach áit an-dorcha sa choill. Bhí aill os a gcomhair amach agus ag bun na haille bhí pluais. Bhí béal na pluaise chomh beag sin nach rachadh tríd ach páiste.

'Tá ainmhithe istigh ansin,' arsa a uncail leis. 'Beidh ort dul isteach ann agus iad a ruaigeadh. Maróidh mise iad nuair a thiocfaidh siad amach.'

Bhí cuma an-ghruama ar an bpluais.
Chuaigh an buachaill isteach ann. Brrrr,
bhí sé an-fhuar. Bhí duilleoga agus clocha
ann ach ní raibh ainmhí ar bith sa phluais.
Chas sé ar ais agus cad a chonaic sé ach a
uncail agus béal na pluaise á dhúnadh aige
le carraig. Bhí gach rud dorcha ansin.

Bhrúigh sé é féin in aghaidh
na carraige ach ní bhogfadh sí. Bhí sé
sáinnithe! Bhí eagla air i dtosach ach
ansin chuimhnigh sé ar chomhairle a
thuismitheoirí, dóchas a bheith ina chroí i
gcónaí.

Thosaigh sé ag canadh. Bhain an
t-amhrán leis féin agus lena chás, é a bheith
fágtha gan tuismitheoirí agus géarghá aige
le cairde. Chan sé agus chan sé agus sa
deireadh chuala sé torann éigin lasmuigh.
Guthanna! Ach ní guthanna daonna a bhí
iontu.

'An buachaill bocht!'

'Is ceart teacht i gcabhair air!'

'Cinnte, tá sé istigh ansin leis féin agus níl sé in ann éalú.'

'Cé atá ag caint?' arsa an buachaill leis féin. 'Tá siad ag caint i dteangacha éagsúla. Conas go bhfuilim in ann iad a thuiscint?'

Bhog an charraig agus tháinig solas isteach sa phluais. Dalladh an buachaill ar feadh soicind. Amach leis ar a cheithre boinn agus d'fhéach sé ina thimpeall. Ainmhithe! Bhí sé timpeallaithe ag scata ainmhithe.

'Thánamar i gcabhair ort,' arsa Caochán. ' Chualamar an t-amhrán. Déan suas d'aigne anois cé atá uait mar thuismitheoirí.'

D'fhéach an buachaill ar Chaochán.

'Díreach é,' arsa Mús agus é ina sheasamh i measc na gcrann. 'Cé atá uait?'

Chuimil sé a shúile. An taibhreamh é seo, ar seisean leis féin.

'An mise atá uait?' arsa Béabhar.

'Níl a fhios agam,' arsa an buachaill. 'Tá sibh ar fad an-chineálta. Conas a roghnóidh mé eadraibh?'

'Ceist mhaith,' arsa Caochán.

'An-cheist,' arsa Mús.

'Tá a fhios agam cad a dhéanfaimid,' arsa Caochán. 'Tugaimis cur síos dó cén saghas is ea sinn agus conas a mhairimid.'

D'aontaigh na hainmhithe go léir leis sin.

'Lig domsa tosú,' arsa Caochán. 'Bhuel,' ar sé, 'cónaímse faoin talamh. Bíonn sé deas cluthar faoin talamh, pas beag dorcha is dócha, ach mar sin féin, rachaidh tú i dtaithí air tá mé cinnte. Más maith leat péisteanna a ithe, bhuel, níl aon ghanntanas péisteanna ann, mise á rá leat.'

'Tuigim,' arsa an buachaill, 'ach tá do chuid tollán feicthe agam, a Chaocháin, agus tá siad róbheag dom. Agus – nílim rócheanúil ar phéisteanna chun na fírinne a rá leat.'

'Is trua sin,' arsa Caochán.

'Tar chun cónaithe liomsa,' arsa Béabhar. 'Tá lóiste breá agamsa i lár locháin. Ithimid an choirt is deise a fhásann ar na crainn is milse. Bímid ag tumadh an lá ar fad. Beidh an-spórt agat!'

'Bheadh sé sin an-spéisiúil,' arsa an buachaill, 'ach ní íosfainnse coirt agus táim cinnte go bhfuil uisce an locháin an-fhuar sa gheimhreadh.'

'Á bhuel is trua sin,' arsa Béabhar.

'Cad fúmsa?' arsa Mac Tíre. 'Bím ag rith tríd an bhforaois agus beirim ar na hainmhithe beaga go léir is mian liom a ithe. Thaitneodh mo phluais leat, a déarfainn.'

'Is deas uait,' arsa an buachaill, 'ach tá sibhse go léir chomh cineálta sin, níor mhaith liom ainmhithe beaga a ithe.'

'Maith thú!' arsa Béabhar agus Caochán.

'Is trua sin,' arsa Mac Tíre.

Labhair Fia ansin.

'Tabharfaidh mise air cheart duit, a bhuachaill. Bí ag rith trí na páirceanna liomsa agus beidh picnic againn gach lá – cipíní agus féar.'

'Ní fhéadfainn coimeád suas leatsa,' arsa an buachaill, 'tá tú róthapa.'

'Is trua sin,' arsa Fia.

D'fhéach Béar ar an mbuachaill
ansin. D'fhéach sí isteach ina shúile ar
feadh i bhfad.

'Tar linne,' ar sí, 'agus bí i do Bhéar.
Gluaisimidne go breá mall. Más garbh é ár
nguth is bog ár gcroí. Ithimidne na caora
a fhásann ar na sceacha, is maith linn
mil na mbeach agus is breá linn iasc úr.
Coinneoidh ár gcuid fionnaidh deas teolaí
thú i gcaitheamh an gheimhridh.'

'Tá mé fíorbhuíoch díot,' arsa an
buachaill. 'Sea, ba mhaith liom a bheith i
mo Bhéar. Rachaidh mé leat.'

An buachaill nach raibh athair ná
máthair, deartháir ná deirfiúr aige, chuaigh
sé chun cónaithe leis na Béir. Bhí dhá Bhéar
eile ag an máthair sin, mar sin bhí deirfiúr
nua agus deartháir nua anois aige. Chaith
siad an lá ag spraoi le chéile, ag bailiú caor

agus ag iascaireacht agus tar éis cúpla mí
bhí an buachaill chomh láidir le Béar ar
bith a mhair riamh. 'Bí cúramach,' arsa a
mháthair leis. 'Tá crúba do dheirféar is do
dhearthár an-ghéar. Má scríobann siad thú,
fásfaidh fionnadh san áit sin agus beidh tú
díreach cosúil leo.'

Mhair siad ar feadh i bhfad san
fhoraois agus mhúin a mháthair, a
dheirfiúr agus a dheartháir a lán lán rudaí
dó. Ach an rud is tábhachtaí ar fad – bhí
grá acu dá chéile.

Bhí siad lá san fhoraois agus iad ag
lorg caor nuair a chuala an mháthair rud
éigin.

'Fuist!' ar sise. 'Sealgaire!'

D'éist siad go géar agus sea go
deimhin chuala siad duine éigin ag siúl
tamall uathu.

D'fhéach an buachaill ar a mháthair agus imní air ach bhí meangadh beag gáire ar a béal.

'Ní baol dúinn eisean,' ar sí. 'Sin é Tromchosach. Insíonn na cipíní agus na duilleoga dúinn nuair a thagann sé gar dúinn.'

Lá eile tharla an rud céanna.

'Fuist!' arsa an mháthair. 'Sealgaire!'

Ach ní raibh ann ach Clabaire.

'Ní baol duit Clabaire,' arsa a mháthair leis. 'Bíonn sé ag caint leis féin nó ag canadh dó féin an t-am ar fad. Tá cluasa ar an bhforaois seo tá a fhios agat. Agus cloisimse gach rud.'

Bhí go maith is ní raibh go holc.

Lá amháin agus iad amuigh ag lorg meala, stop an mháthair.

'Fuist!' ar sise. 'Sealgaire!'

Bhí eagla ar an máthair.

'Is baol dúinn an sealgaire a bhfuil dhá chos faoi agus Ceathairchosach lena thaobh.'

Leis sin chuala siad madra ag sceamhaíl.

'Táimid i mbaol!' arsa an mháthair. 'Is sealgaire dainséarach eisean. Má fhaigheann an Ceathairchosach do bholadh ní éireoidh sé as go dtí go mbeidh tú teanntaithe aige.'

Thosaigh an madra seilge ag sceamhaíl arís.

'Chun reatha linn!' arsa an mháthair agus thosaigh siad ag rith, an buachaill, a mháthair, a dheirfiúr agus a dhearthair. Rith siad agus rith siad; chuir siad aibhneacha díobh agus cnoic ach lean an madra iad i gcónaí. Chaith siad an lá

ar fad ag rith agus nuair a bhí scáileanna
an tráthnóna ag titim bhí siad féin réidh
le titim freisin. Sa deireadh chonaic an
mháthair crann mór agus cuas ann.

'Isteach linn,' ar sise. 'Níl aon rogha
againn.'

Isteach sa chuas leo. D'fhan siad
ansin, ga seá orthu agus tuirse an domhain.
Níor chuala siad faic ar feadh i bhfad ach
ansin chuala siad smúrthacht an mhadra.
Chuir an mháthair drantán aisti. Scanraigh
sé sin an madra.

Bhí ciúnas ann ar feadh i bhfad.
Mheas an buachaill go rabhadar slán ach
ansin... cén boladh é sin? Boladh deataigh!
Bhí an sealgaire chun iad a chur amach le
toit!

Labhair an buachaill ansin.

'Ná déan dochar do mo chairde!' ar

sé.

'Cé atá ag caint?' arsa an sealgaire.

D'aithin an buachaill an guth!

'An bhfuil duine istigh sa chuas?' arsa an sealgaire.

Tháinig an buachaill amach agus cé a bhí roimhe ach a uncail.

Bhí deora i súile an tsealgaire nuair a d'aithin sé an buachaill.

'An tú atá ann dáiríre? Tháinig mé ar ais go dtí an phluais chun tú a scaoileadh saor. Tháinig! Thuigeas go raibh drochghníomh déanta agam. Maith dhom é! Maith dhom é! Bhí tú imithe agus ba léir ó urlár na foraoise go raibh ainmhithe timpeall na pluaise. Bhíos cinnte go raibh tú ite acu!'

Ní bréag a bhí ann. Bhí gach focal dá ndúirt sé fíor. Bhí náire air an tslí inar chaith sé le mac a dheirféar agus bhí fonn air aire cheart a thabhairt dó amach anseo. Is air a bhí an brón agus an briseadh croí nuair a fuair sé an phluais roimhe agus í folamh.

Chuaigh a uncail ar a ghlúine.

'Maith dhom é!' ar seisean, agus chrom sé a cheann le náire.

'Maithfidh mé dhuit é, a Uncail,' arsa an buachaill. 'Anois, ceangail do mhadra seilge den chrann sin agus ná lig dó cur isteach ar na Béir. Is iad na Béir a thug aire dom le bliain anuas.'

Cheangail an t-uncail an madra den chrann.

'Abair le do chairde teacht amach,' arsa a uncail. 'Beidh mise mór leis na Béir amach anseo más fíor a ndeir tú ina dtaobh.'

Tháinig a mháthair, a dheirfiúr agus a dheartháir amach as an gcuas. Labhair siad leis an mbuachaill agus b'ionadh lena uncail go raibh an buachaill in ann iad a thuiscint.

'Deir na Béir liom, a Uncail, go gcaithfidh mé a bheith i mo dhuine arís agus filleadh ar na hIroquois.'

Ansin chas sé chuig a mháthair, a dheirfiúr agus a dheartháir:

'Feicfidh mé sibh!' ar seisean.

Thug sé barróg dóibh go léir ansin – barróg mhór an Bhéir!